嵩高靈廟碑

中國碑帖名品

[二十九]

上海書畫出版社

前言

中華文明綿延五千餘年，文字實具第一功。從倉頡造字而雨粟鬼泣的傳説起，歷經華夏子民智慧聚集、薪火相傳，終使漢字生生不息、蔚爲壯觀。伴隨著漢字發展而成長的中國書法，基於漢字象形表意的特性，在一代又一代書寫者的努力之下，最終超越其實用意義，成爲一門世界上其他民族文字無法企及的純藝術，并成爲漢文化的重要元素之一。在中國知識階層看來，書法是中國人『澄懷味象』、寓哲理於詩性的藝術最高表現方式，她浄化、提升了人的精神品格，歷來被視爲『道』『器』合一。而事實上，中國書法確實包羅萬象，從孔孟釋道到各家學説，從宇宙自然到社會生活，中華文化的精粹，在其間都得到了種種反映，書法無愧爲中華文化的載體。書法又推動了漢字的發展，篆、隸、草、行、真五體的嬗變和成熟，源於無數書家承前啓後、對漢字美的不懈追求，多樣的書家風格，則愈加顯示出漢字的無窮活力。那些最優秀的『知行合一』的書法家們是中華智慧的實踐者，他們彙成的這條書法之河印證了中華文化的發展。

因此，學習和探求書法藝術，實際上是瞭解中華文化最有效的一個途徑。歷史證明，漢字及其書法衝破了民族文化的隔閡和時空的限制，在世界文明的進程中發生了重要作用。我們堅信，在今後的文明進程中，這一獨特的藝術形式，仍將發揮出巨大的力量。然而，在當代這個社會經濟高速發展、不同文化劇烈碰撞的時期，書法也遭遇前所未有的挑戰，這其間自有種種因素，而漢字書寫的退化，或許是書法之道出現踟躕不前窘狀的重要原因，因此，有識之士深感傳統文化有『迷失』、『式微』之虞。書法藝術的健康發展，有賴對中國文化、藝術真諦更深刻的體認，彙聚更多的力量做更多務實的工作，這是當今從事書法工作的專業人士責無旁貸的重任。

有鑒於此，上海書畫出版社以保存、還原最優秀的書法藝術作品爲目的，承繼五十年出版傳統，出版了這套《中國碑帖名品》叢帖。該叢帖在總結本社不同時段字帖出版的資源和經驗基礎上，更加系統地觀照整個書法史的藝術進程，彙聚歷代尤其是今人對不同書體不同書家作品（包括新出土書迹）的深入研究，以書體遞變爲縱軸，以書家風格爲横綫，遴選了書法史上最優秀的書法作品彙編成一百册，再現了中國書法史的輝煌。

爲了更方便讀者學習與品鑒，本套叢帖在文字疏解、藝術賞評諸方面做了全新的嘗試，使文字記載、釋義的屬性與書法藝術造型、審美的作用相輔相成，進一步拓展字帖的功能。同時，我們精選底本，并充分利用現代高度發展的印刷技術，精心校核，原色印刷，幾同真迹，這必將有益於臨習者更準確地體會與欣賞，以獲得學習的門徑。披覽全帙，思接千載，我們希望通過精心編撰、系統規模的出版工作，能爲當今書法藝術的弘揚和發展，起到綿薄的推進作用，以無愧祖宗留給我們的偉大遺産。

上海書畫出版社

簡介

《嵩高靈廟碑》，全稱《中嶽嵩高靈廟之碑》，又稱《寇君碑》、《中嶽碑》等。北魏太安二年（四五六）立，一説太延年間（四三五——四四〇）立。碑高二百一十三釐米，寬九十九釐米。碑陽二十三行，行五十字，碑陰題名七列。碑額有陽文篆書『中嶽嵩高靈廟之碑』八字。原石立於河南省登封縣嵩山中嶽廟内，今仍在，惜碑石風化嚴重，字迹剥落幾近全碑之半。碑文記載了寇謙之修中嶽廟并弘揚道教的事迹。此碑書體隸楷相雜，結構錯落有致、真率古拙，歷來爲書家所重。

本次選用之本爲上海圖書館所藏清初精拓本，首行『太極剖判』，『剖』字左上立部微損，爲吴雲、沈韻初、龐萊臣遞藏。前有沈曾植題名，後有褚德彝跋尾。整幅拓片爲朵雲軒所藏清乾隆年間舊拓，亦屬難得之品。均爲首次原色全本影印。

【碑額】中岳／

嵩高／

嵩高靈廟：今稱中嶽廟，在河南省登封縣嵩山東麓，是歷代祭祀嵩山的場所。廟始建於秦，西漢元封元年（公元前一一〇）漢武帝游嵩山時下令祠官增其舊制。東漢安帝元初五年（一一八）在正門南面增建『太室闕』。南北朝期間曾兩遷廟址於嵩山玉案嶺、黄蓋峰。約在北魏時改名爲中嶽廟，其後廟址屢有變遷，唐玄宗時復歸原址，并有擴建。宋乾德二年（九六四）增建行廊百餘間，大中祥符六年（一〇一三）增修崇聖殿及牌樓等八百餘間，時雕樑畫棟，金碧輝煌，爲極盛時期。明崇禎十七年（一六四四）毁於大火。現存廟宇爲清代重修後的規模。

之碑／

太極：古人所稱最原始的混沌之氣。

兩儀：指天地。

播宣：分化而演變成萬物。

【碑陽】太極剖判，兩儀／既分。四節代序，／五行播宣。是故／

五緯：指金、木、水、火、土五星。

陽施：陽氣散布展開。

陰化：謂大地化生萬物。

天有五緯，主奉／陽施；地有五岳，／主承（陰化。所）／

統協：統治包容。渾元苞含：指天地混沌之氣。

光濟：普濟，廣益，光大。

巛：同『坤』。乾巛覆載：蒼天覆蓋，大地承載。

以統協（渾元苞∕含）之至用，光濟∕乾巛覆載之大∕

三材之道：指天道、地道、人道。

德。於是造化之/功建，而三材之/道顯，然後天人/

天人之際：天道與人事相互之間的關係。

羲農：即伏羲氏。造創：指伏羲製作八卦。相傳伏羲觀天象而製八卦。

之際，粲然著明，／可得而述。羲農／造創，觀象立（法）。／

三辰：指日、月、星。

（王者）父天母地，/仰宗三辰，俯宗/山川。夫中岳者，/

土官：主土地之官，即土神、后土。以中嶽爲土官之宫府，是因爲中嶽屬土，配鎮星。

上靈：上帝，神靈。

蓋地理土官之／宫府，而上靈之／所遊集，四通五／

達之都會（也。上）／應懸象鎮星（之）／配，（而宿）值軒轅，／

五達：通達五方的大路。

懸象：即天象。

鎮星：亦作『填星』，『填』通『鎮』，即土星。古人以爲土星每二十八年運行一周天，好像每年坐鎮二十八宿中的一宿，故名之爲鎮星。

宿：星座。軒轅：星座名。按：嵩山在豫州，按古代星野之說，主中央，五行屬土，爲土官之府，配鎮星、軒轅。

璿：同『璇』；機：通『璣』。璇璣玉衡：古代玉飾的觀測天象的儀器。七政：一說指日、月和金、木、水、火、土五星，一說指天、地、人和四時。《尚書·舜典》：『在璇璣玉衡以齊七政。』

璿機玉衡，以齊／七政。其山也，則／崇峻而神奥，原／

隰也，則（顯）敞而／□□。南沂淮汝，／（北憑河洛。羲皇授《龍）／

原隰：廣平與低濕之地。

沂：通「圻」。圻：同「垠」，指邊界、邊際。此處用作動詞。

淮汝：指淮水和汝水，汝水爲淮水的支流。南沂淮汝：即南界淮河、汝水。

《龍圖》：即《河圖》，相傳伏羲時有龍馬出於黄河，馬背有旋毛如星點，稱作龍圖。伏羲取法以畫八卦。

《龜書》：即《洛書》，相傳夏禹治水時有神龜出於洛水，背上有裂紋，紋如文字，禹取法而作《尚書·洪範》『九疇』。

錫：通『賜』。

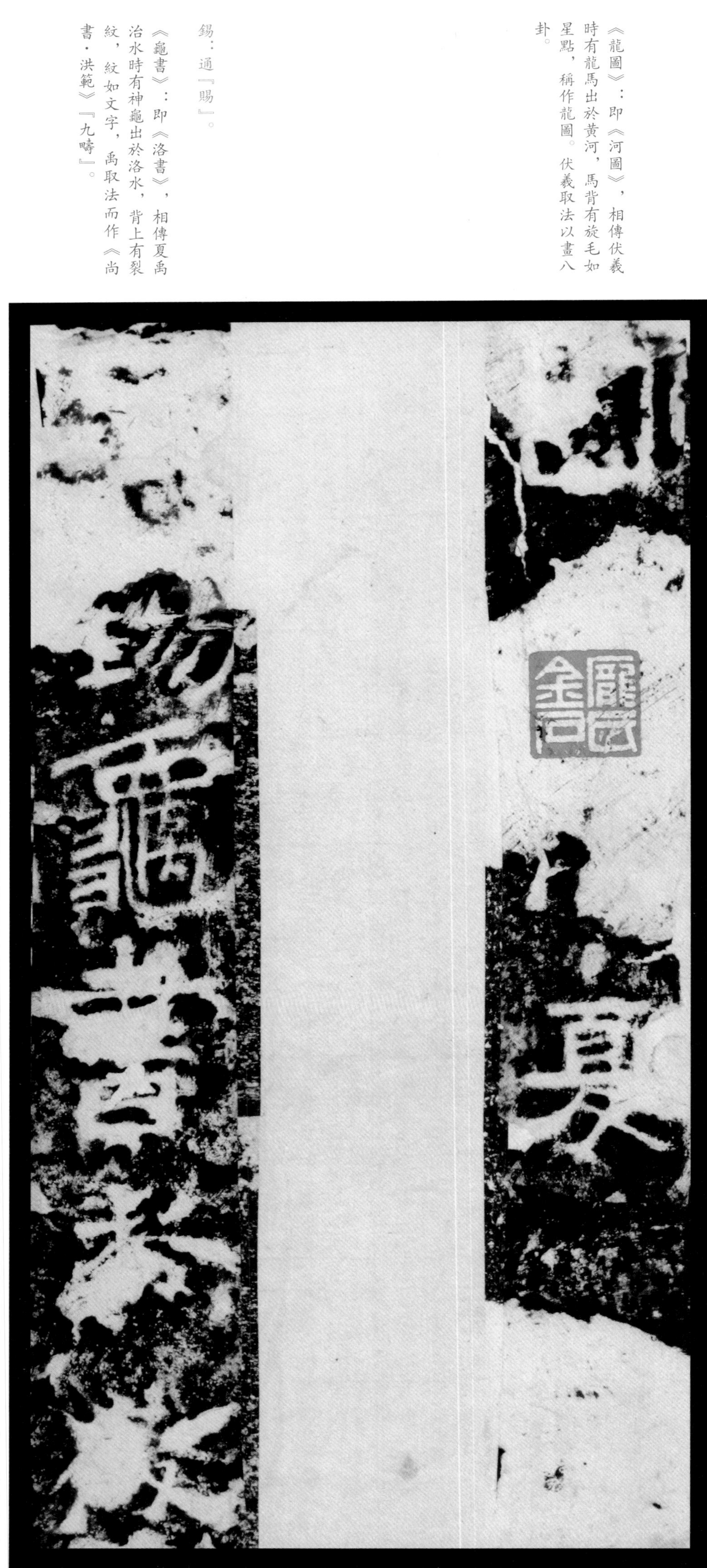

（圖》於前），夏（禹）／……／□錫《龜書》於後。／

除僞寧真：滅除繆亂，延續正統。通靈受命：與上帝溝通，受命於人世。按：這兩句是説，中嶽乃是延續上天正統之所（即標榜北魏爲正統之義），也是聖哲與上帝溝通之地。

乃天道所以除／僞寧真，而聖哲／通靈受命之處／

巖藪：指山澤、山野。

所。是以巖藪集／神□，□□□□／道。太（古純純，人）／

幽顯交通：神與人溝通。幽：隱晦，指神；顯：顯明，指人。

顒顒昂昂：形容温和恭敬，器宇軒昂。語出《詩經·大雅·洞酌》。

（神雜處，）幽顯（交）/通，故其威儀顒/顒昂昂，不嚴而/

少昊：號金天氏，相傳爲西方之神。

九黎：上古部落名。

民濁齋明：嘉生不潔，指祭祀不恭謹、不嚴肅、不潔淨。

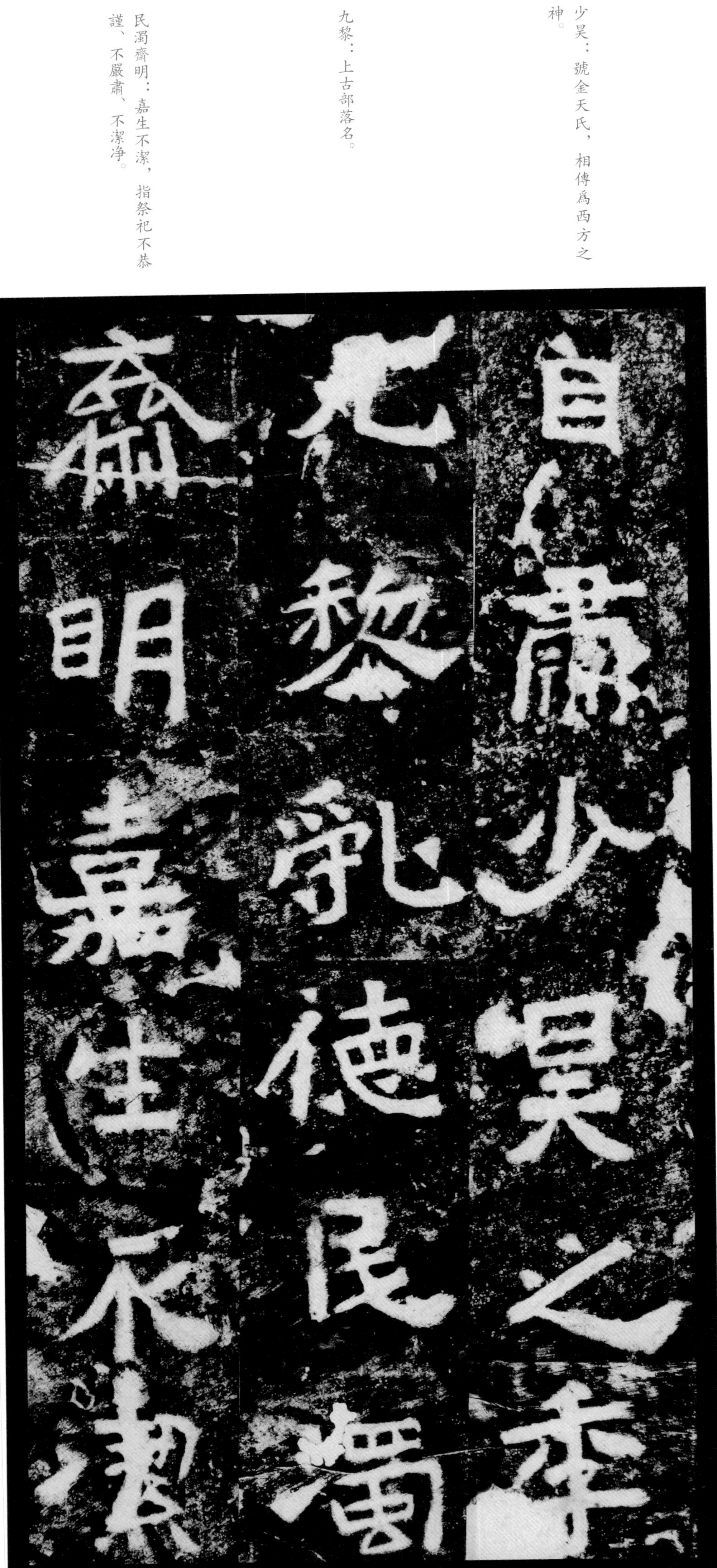

自肅。少昊之季，/九黎亂德，民濁/齋明，嘉生不潔。/

與俗殊別：指神靈與惡俗之人遠離，不接受祭獻。

於（是神祇隱弊，而與）／俗（殊別。降□唐虞，敬／順昊天，禮秩百）／

巡狩：亦作「巡守」。指天子出行，視察邦國州郡。《尚書·堯典》：「五載一巡守。」

躬：親自。躬祀岳靈，指天子親自前往山川行祭祀之禮。

（神，）五載巡狩，（躬）/祀（岳）靈。三代（因）/循，隨時損益，有/

有十二年巡祀之義：《周禮·秋官·大行人》：『十有二歲，王巡守殷國。』

令典：好的典章法度。

察：疑是『祭』字之訛。

帝舜有王母獻圖之徵：明孫瑴《古微書》卷三五《雒書靈准聽》：『舜受終，鳳皇儀，黃龍感，朱草生，蓂莢孳，西王母授益地圖。』按：舜受終，指舜受堯之禪讓爲帝。

十二年巡祀之／義，謂之令典。脩／（禮明察，故能厚獲神祇之□，□□多歷年數。帝舜有王母獻）圖之徵，武（王有）／

五靈：指麟、鳳、神龜、龍、白虎，古代傳説中的五種靈異鳥獸。相傳武王曾見此類祥瑞。

若影響之隨形聲：即如影隨形，如響隨聲。形容報應分明。

五靈觀德之祥。/報應之契，（若影/響）之隨形聲。故/

禋祀：古代祭天的一種禮儀。先燔柴昇烟，再加牲體或玉帛於柴上焚燒。

懷柔百神：意爲祭祀天地和山川衆神。

及河喬岳：意爲到達黄河和高山。

允王保之：意爲武王永保天下。

綏萬邦，屢豐年：意爲平定天下，屢獲豐年。

（禋）祀之（禮，先王所重。《詩》云：『懷柔百神，及河喬岳，允王保之。』又曰：『綏萬）／邦，屢豐年。』其斯／之謂也。周室既／

天下蕩蕩：謂天下法度廢弛，無復綱紀。

奸蘖：奸邪不忠的人。蘖：本義是被砍去或倒下的樹木再生的枝芽。

衰，（天子）微弱，巡／（祀）之禮，不復行／（於）方岳（之下。天下蕩蕩，神祇之主。於是亂逆大作，奸蘖萌生，而禮義壞矣。）／

妄祀：不合正統的祭祀。妄祀岱宗：指秦始皇及後世帝王封泰山事。

（亡）秦及漢，不遵／古始，莫能興（復，唯）／妄祀岱宗，以勒／

劉：指劉淵，十六國前趙的創立者；石：指石勒，十六國時期後趙建立者；慕容：指前燕慕容氏；苻：指前秦苻氏。此四者，皆指十六國時期的割據政權。

叨竊：謂不當得而得。

朱紫雜错：形容正邪相雜，是非不辨。

耶：通『邪』。

謡：此同『淫』。淫俗：不正的風俗。

或：通『惑』。

浮屠：亦作『浮圖』、『佛陀』。梵語音譯。指佛教。

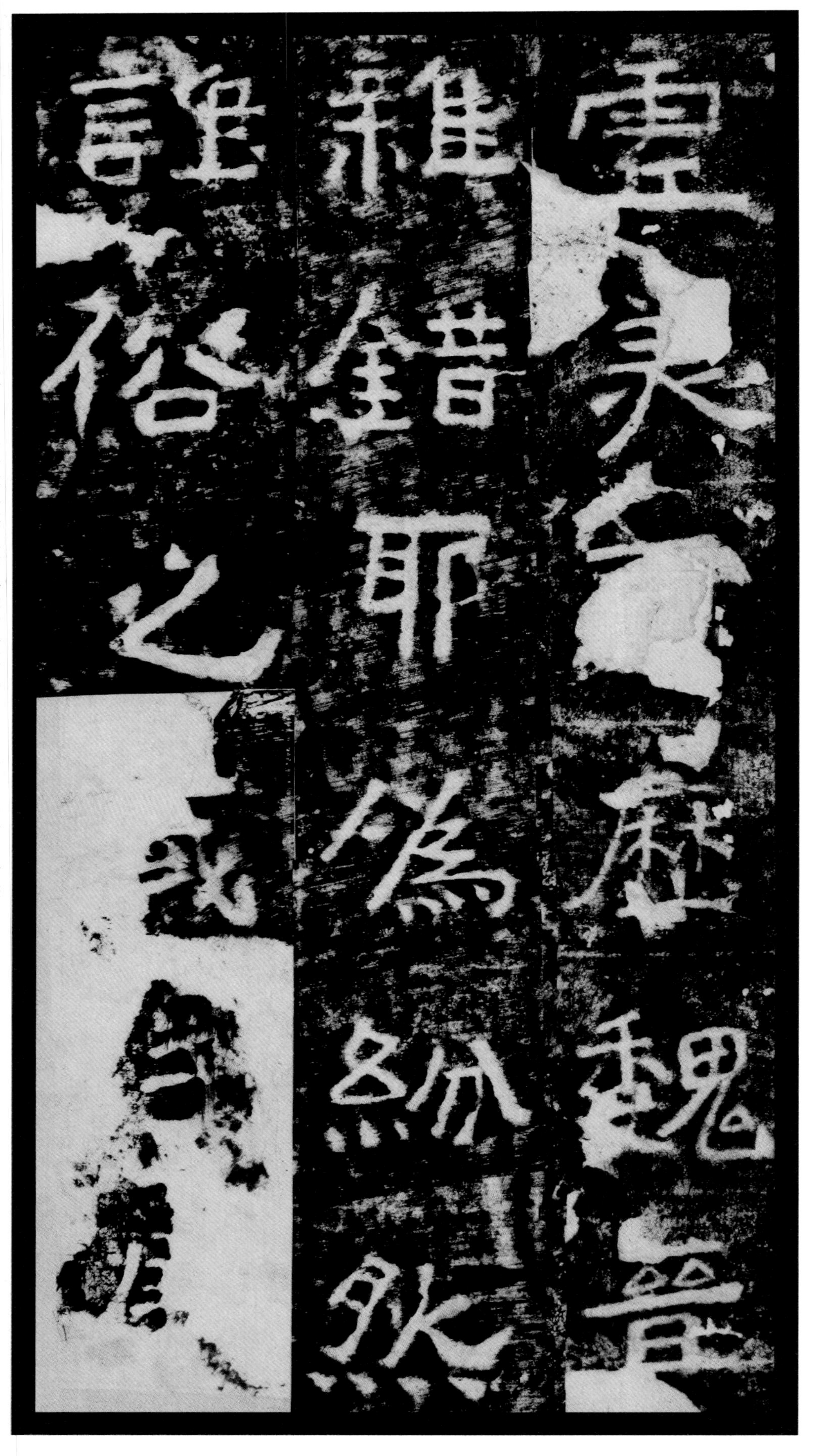

虚美。（下）歷魏晉，／（奉禮雖豐，太守行祠，帝不親口。劉、石、慕容，及以苻氏，叨竊一時，朱紫）雜错，耶僞紛然。／謡俗之（或，浮屠）／

（爲）魁，祭非祀典，／（神怒）民叛。（是以享年不永，身没未幾，厥宗噬膚，旋踵滅□。□州分崩，百餘）／年間，生民塗炭，／

噬膚：指受刑。《易·噬嗑》：『噬膚滅鼻，無咎。』厥宗噬膚：此處比喻發生内亂，自相殘殺。

旋踵：掉轉脚跟，比喻時間極短。

代：魏國的別稱。

龍興：比喻王者興起。

刑簡化醇：刑法簡易，教化醇厚。

叡：同『睿』。睿哲：睿智聖明。

紹隆：繼承發揚。洪緒：鴻業，大業。

殆將殲盡。大代／龍（興，撥亂反正。刑簡化）／醇，無為而治。（聖上以叡哲之姿，應天順民，紹隆洪緒。是以即位之初，天清地）／

寇謙之（三六五—四四八），字輔真，北魏道士，南北朝時期新天師道（也稱『北天師道』）的改革者和代表人物。北魏始光初年，至魏都平城獻《録圖真經》，受到崔浩的推崇，太武帝拓跋燾派謁者奉玉帛牲牢祭嵩嶽，由此天師道成爲官方宗教，在北方大爲興盛。寇謙之作爲國師，曾參與謀劃軍政，助太武帝完成了統一北方的大業。其後北魏諸帝即位後都接受天師道符籙，成爲定制。

寧，（人）神和會。有／繼天師寇君，名／謙（之，字輔真。）高（尚素）志，隱／

（處）中岳卅（餘年。）／岳（鎮主人、集仙宮主表奏，寇君行合自然，才任軌範，於是上／神）降臨，授以九／

州真師，理治人／（鬼之政。佐國苻命，輔）／導真君，成太平／

俾：使。

憲章古典：依照古代的典章制度。

詭：責成，要求。《說文解字》：『詭，責也。』詭復岳祠：責成恢復對山嶽的祭祀。

輝贊：發揚廣大。

莫：通『謨』，謀略。謨明神武：謀略美善，英勇神武。

寘：通『填』。填真：當指鎮星的正統。

安立壇治：即造天師道場，爲始光初年事。

之化。（俾憲章古典，詭復岳祠，可以輝贊功美。天子莫明神武，德合）／寘真。遂案循科／條，安立壇治，（造）／

造天宮之静輪：即造静輪天宮。據《魏書·釋老志》記載，寇謙之奏請太武帝拓跋燾建静輪天宮，『必令其高不聞鷄鳴狗吠之聲，欲上與天神交接』。

（天宮之）静（輪，俟）（真神）之降儀。（及（國）家（征討不））

征討不庭：指北魏征討大夏赫連昌等事。出征之前，太武帝拓跋燾都曾向寇謙之卜問吉凶，寇謙之支持出兵。

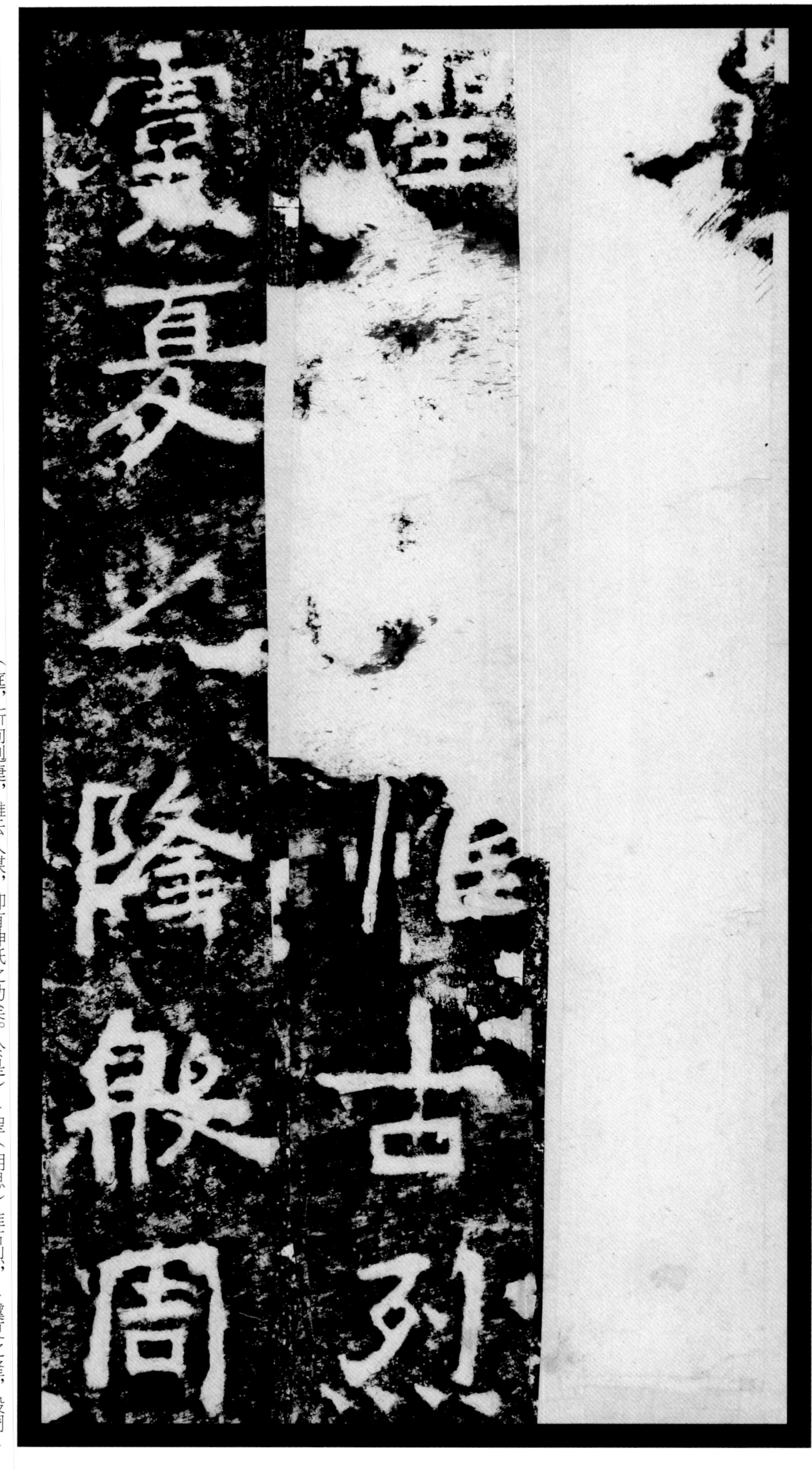

（庭，所向剋捷，雖云人謀，抑有神祇之助矣。於是）／聖（朝思）惟古烈，／虞夏之隆，殷周／

之盛，（福祚如彼；近鑒叔世，秦）／漢之替，劉（石之／劣，禍敗若此。又以天師口口，受對揚之訣，乃使服食之）／

叔世：末世，衰亂的時代。

對揚：凡臣下受君上賞賜時，臣下之答謝、頌揚，稱爲『對揚』。按：『受對揚之訣』，下文銘詞中又有『人神對揚』，與此處相對應，可見此句是説寇謙之能與神人對話，并受到上天的册封，而不是指與皇帝對話。

服食之士：指道士。道家服用丹藥以養生，故稱。

祀、報、告：均指祭祀。古代凡春秋二季及有帝王登基、出兵征伐、天下大災等大事，均須至山嶽行祭祀。常祭稱『祀』；先有所祈求而獲得，後來還祭，稱『報』；因征伐、冊立太子等事而祭，稱『告』。

士，（修諸）岳祠，奉／玉帛之禮，春祈／秋報，有（大事告焉。）／

太延：北魏太武帝年號。《魏書·禮志》載：『太延元年，立廟於恒嶽、華嶽、嵩嶽上。』

（以舊祠）毀壞，奏／遣（道士楊龍子更造新廟。太延元年乙亥冬十月戊□。□時縉）／紳（之儒，好古）之／

士，莫不欣遭大／明之世，（復覩聖）／德之事，慨然相／

與議曰：『運（極反）/真，亂（窮則治。是）/以（《周易》貴變通，《春秋》大復古，泰平之基，）/

運極反真：動極則靜。運：指動；真：指靜。

（將在於斯。）宜刊／載金石，垂之來／世。』乃作（銘曰：）／

巖巖：形容嵩山之高峻。

后土：指土神。此句對應上文『夫中岳者，蓋地理土官之宮府』一句。

祣：通『旅』。指祭祀山川和上帝。《周禮·春官·大宗伯》：『國有大故，則旅上帝及四望。』注：『旅，陳也。陳其祭事以祈焉，禮不如祀之備也。』

巖巖嵩岳，作鎮／后土。配天承化，／總（統四祣。）誕命／

皇極惟建：建立君王的至上法則。
彝倫攸序：建立治理天下的常理。

聖明，（萬象）荒主。/《河圖》（授羲，《洛書》錫禹。皇極/惟）建，彝倫攸序。/

申：指申伯，是周宣王的母舅，封於申。甫：指吕侯，爲穆王之司寇，曾作《吕刑》，勸穆王慎用刑法。申和甫，均爲周之賢臣，古人將此二人作爲嵩嶽先賢。《詩經·崧高》一詩，乃是尹吉甫叙申伯之功業，并爲之送行而作。

降神育賢，生申／及甫。惟申及甫，／翼治作輔。萬國／

福祜：福祐，福氣。

穆穆：形容儀容言語美好，行止端莊恭敬。

皇羲：指伏羲。

咸寧，饗茲福祜。/穆穆皇羲，仰觀/俯察。爰制祀典，/

民和神悦。（唐虞稽古，率）／（由前）烈。悠悠後／王，或隆或替。虔／

修克興，漫濁致／滅。煌煌大代，應／期憲章。除僞寧／

真，洪業克昌。師／君弘道，人神對／揚。明奉（天地），布／

穰：豐收。

（序）五常。宗（祀）濟／濟，降福穰穰。宜／君宜民，永世安／

康。

此碑乃述寇謙之事寇在魏時呂道術著稱當時士夫咸稱之為寇天師碑為其弟子楊龍子所造余曾見宋拓本第十一行猶有弟子楊龍子感念師恩代石頌德等字也碑立於魏初書法雄奇渾厚合篆隸正書為一鑪治与宋之爨龍顏碑南北二石互相輝

映昔人謂書體能定時代洵不誣也
碑始著錄於吳山夫之金石存乾隆以
後明泐叜甚是冊墨色黝然審其椎
拓尚在康雍誠不可多覯之墨寶矣
庚申年四月中澣褚德彝記

字體近拙而多古意。

——明 顧炎武《金石文字記》

南碑奇古之《寶子》，則有《靈廟碑》似之。

——清 康有爲《廣藝舟雙楫》

如渾金璞玉，寶采難名。

——清 康有爲《廣藝舟雙楫》

如入收藏家，舉目盡奇古之器。

——清 康有爲《廣藝舟雙楫》

圖書在版編目（CIP）數據

嵩高靈廟碑/上海書畫出版社編.—上海：上海書畫出版社，2012.7

（中國碑帖名品）

ISBN 978-7-5479-0407-7

Ⅰ.①嵩… Ⅱ.①上… Ⅲ.①楷書—碑帖—中國—北魏（439~534） Ⅳ.①J292.23

中國版本圖書館CIP數據核字（2012）第120140號

中國碑帖名品［二十九］

嵩高靈廟碑

本社 編

責任編輯 馮 磊
釋文注釋 俞 豐
審　　定 沈培方
責任校對 郭曉霞
封面設計 王 崢
整體設計 馮 磊
技術編輯 錢勤毅

出版發行 上海書畫出版社
地址 上海市延安西路593號 200050
網址 www.shshuhua.com
E-mail shcpph@online.sh.cn
印刷 上海界龍藝術印刷有限公司
經銷 各地新華書店
開本 889×1194mm 1/12
印張 5
版次 2012年7月第1版
2021年3月第6次印刷

書號 ISBN 978-7-5479-0407-7
定價 40.00元

若有印刷、裝訂質量問題，請與承印廠聯繫